1 kotahi
1
T0004616
1 te pahi
E 2 ngā kiwi
2 rua

# 3 toru

E 3 ngā moko-mata-reitoru
eke taraihikara

4 whā
E 4 ngā kurī kei rō wakakari

# 5 rima

E 5 ngā ngeru kei rō wakarererangi

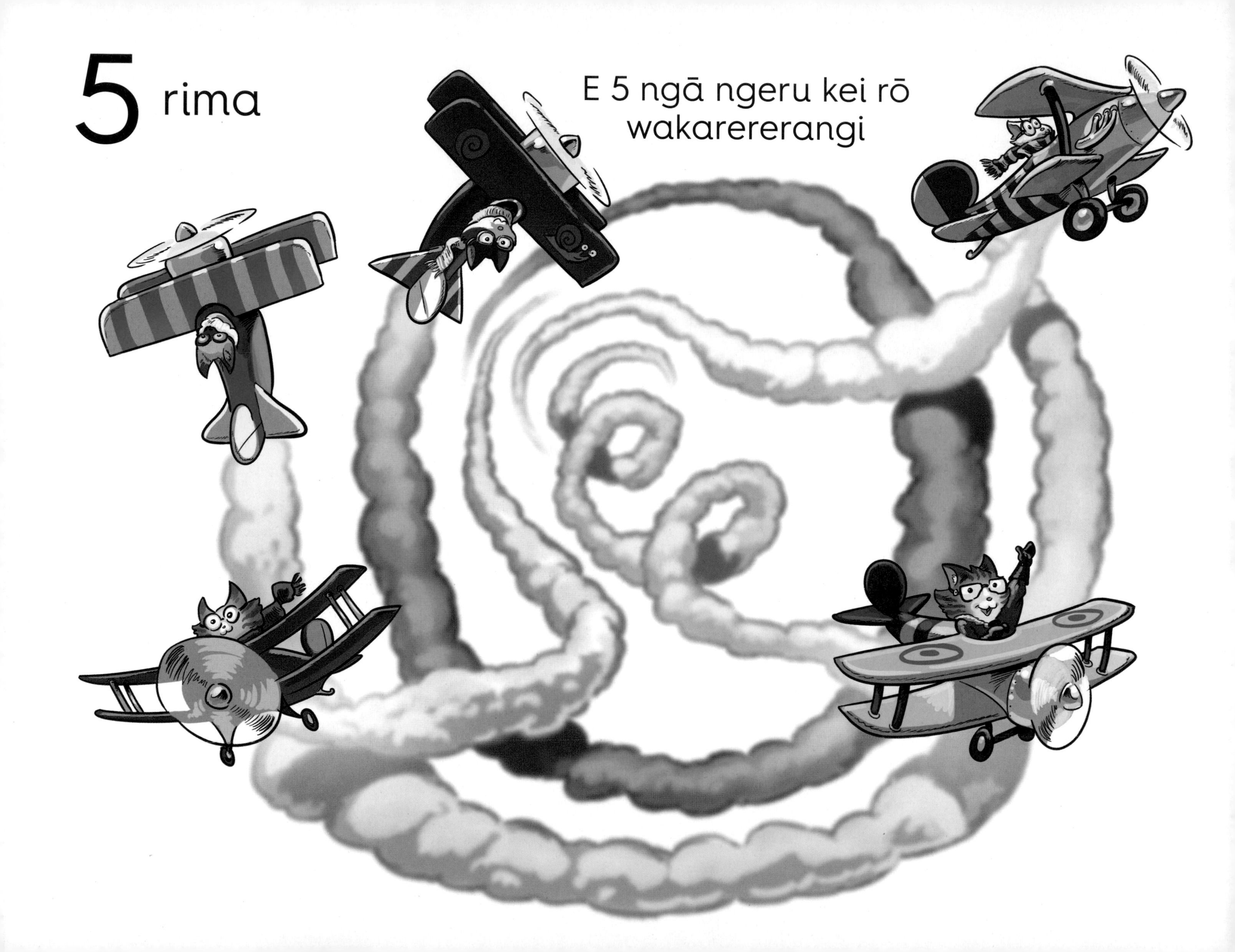

# 6 ono

E 6 ngā hipi tirikohu waehere

# 7 whitu

E 7 ngā aihe popoto

# 8 waru

E 8 ngā wheke

9 iwa
E 9 ngā tawaki

# 10 tekau

10 ngā moko-kākāriki
whakatangi rakuraku

# 11

tekau mā tahi

11 ngā pūrerehua

# 12 tekau mā rua

12 ngā kotakota

# 13 tekau mā toru

13 ngā kea whakatoi

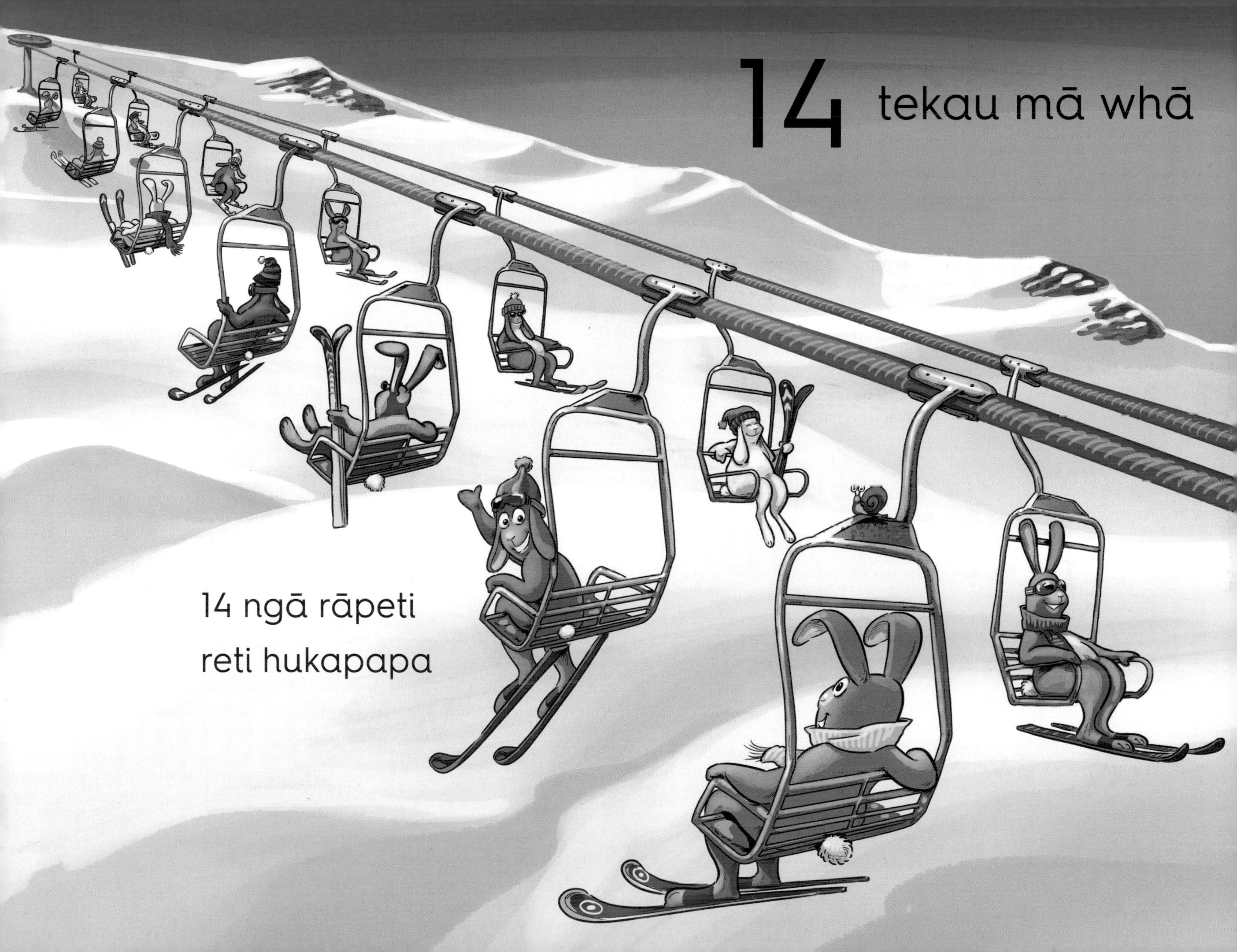

# 14 tekau mā whā

14 ngā rāpeti
reti hukapapa

# 15 tekau mā rima

15 ngā rēme ōpango

16 tekau mā ono

16 ngā tuna kirirua

# 17 tekau mā whitu

17 ngā poihau hau wera

18 tekau mā waru
18 ngā kapukeke

# 19 tekau mā iwa

19 ngā ruru

# 20 rua tekau

E 20 ngā tamariki Kiwi